献给丹尼尔、丽莎和奥托
他们都爱研究打盹儿的方法。

图书在版编目（CIP）数据
我要打个盹儿！／（美）莫·威廉斯文图；绿云译．—北京：北京联合出版公司，2016.11
（小猪小象系列绘本）
ISBN 978-7-5502-9071-6
Ⅰ．①我… Ⅱ．①莫… ②绿… Ⅲ．①儿童故事－图画故事－美国－现代 Ⅳ．①I712.85
中国版本图书馆 CIP 数据核字（2016）第 268710 号

北京市版权局著作权合同登记号：图字 01-2016-8160

我要打个盹儿！

作者：[美]莫·威廉斯◎文/图　绿云◎译
责任编辑：龚　将　夏应鹏　**特约编辑**：何沁雨
封面设计：连　莹　**技术监制**：甘　果
出版策划：牟沧浪　**营销推广**：童立方

北京联合出版公司出版
（北京市西城区德外大街 83 号楼 9 层 100088）
北京旭丰源印刷技术有限公司 新华书店经销
字数 0.8 千字 889mm × 1194mm 1/16 4 印张
2016 年 11 月第 1 版 2016 年 11 月第 1 次印刷
ISBN 978-7-5502-9071-6
定价：26.80 元

我要
打个盹儿！

[美] 莫 · 威廉斯◎文/图　　绿云◎译

北京联合出版公司
Beijing United Publishing Co.,Ltd.

我好困啊。

还有点儿
烦躁。

我想打个盹儿！

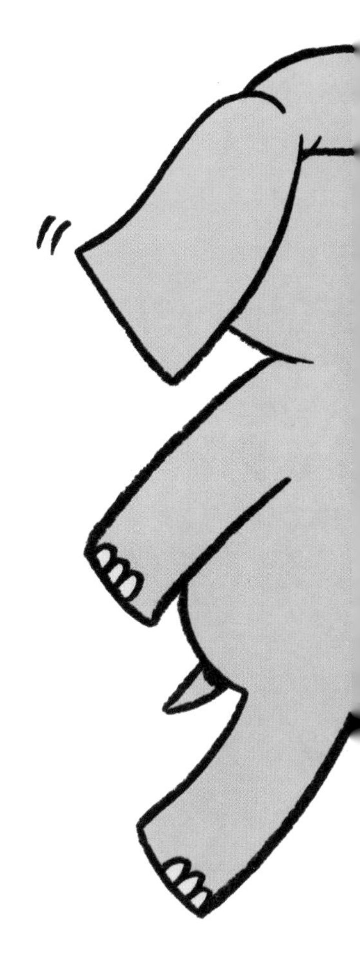

我就喜欢打盹儿。

我要睡个够，
变成开心果。

祝我做个好梦！

小象！

哈?!
什么!

在哪儿？
什么时候？！
怎么办？！

你在干吗?

我想打个盹儿，
我好困啊，
好烦躁啊！

扑通！

只要打个盹儿，
你就不烦躁了吗？

没错，打个盹儿
就能赶走

一切烦恼!

很抱歉，
小猪。
是我脾气
不好。

现在，
我也开始烦躁了！

真的，
非常烦躁！

看来
我也得
打个盹儿！

你可能**确实**需要
打个盹儿！

我也要去
打个盹儿！

我还是喜欢和这个
特别的小伙伴
一起打盹儿。

准备
好了吗?

预备——
—起打盹儿！

好好睡一觉！
呼噜噜噜噜噜……

呼噜噜噜噜噜……

呼噜噜！

呼噜噜噜！

呼噜噜噜噜！

呼噜噜噜噜噜！

呼噜噜！
呼噜噜！
呼噜噜！
呼噜噜！
呼噜噜！
呼噜噜！
呼噜噜！
呼噜噜！

呼噜噜噜噜！

呼呼
呼呼
呼呼
呼呼
啊噗。

呼噜噜噜噜噜……

呼噜

噜！

呼噜噜噜噜噜……

哈欠!

哇！
这个盹儿
真棒！

我睡好啦！

再也不
烦躁了！

小象，你的盹儿
打得怎么样？

我根本就
没睡着，小猪！

我根本没
打盹儿！

可是，如果
你没打盹儿，

我为什么会飘起来呢？

为什么我的
脑袋会变成
紫萝卜呢?

问得好。

我是一个
飘动的
紫萝卜头！
她是一个飘动的
紫萝卜头！

她是一个飘动的
紫萝卜头！

她是一个飘动的
紫萝卜头！

我飘！
我还有个
飘动的
胡萝卜头！

哈欠！

嗨！小象！
你睡得好吗？

好极啦，
紫萝卜头！

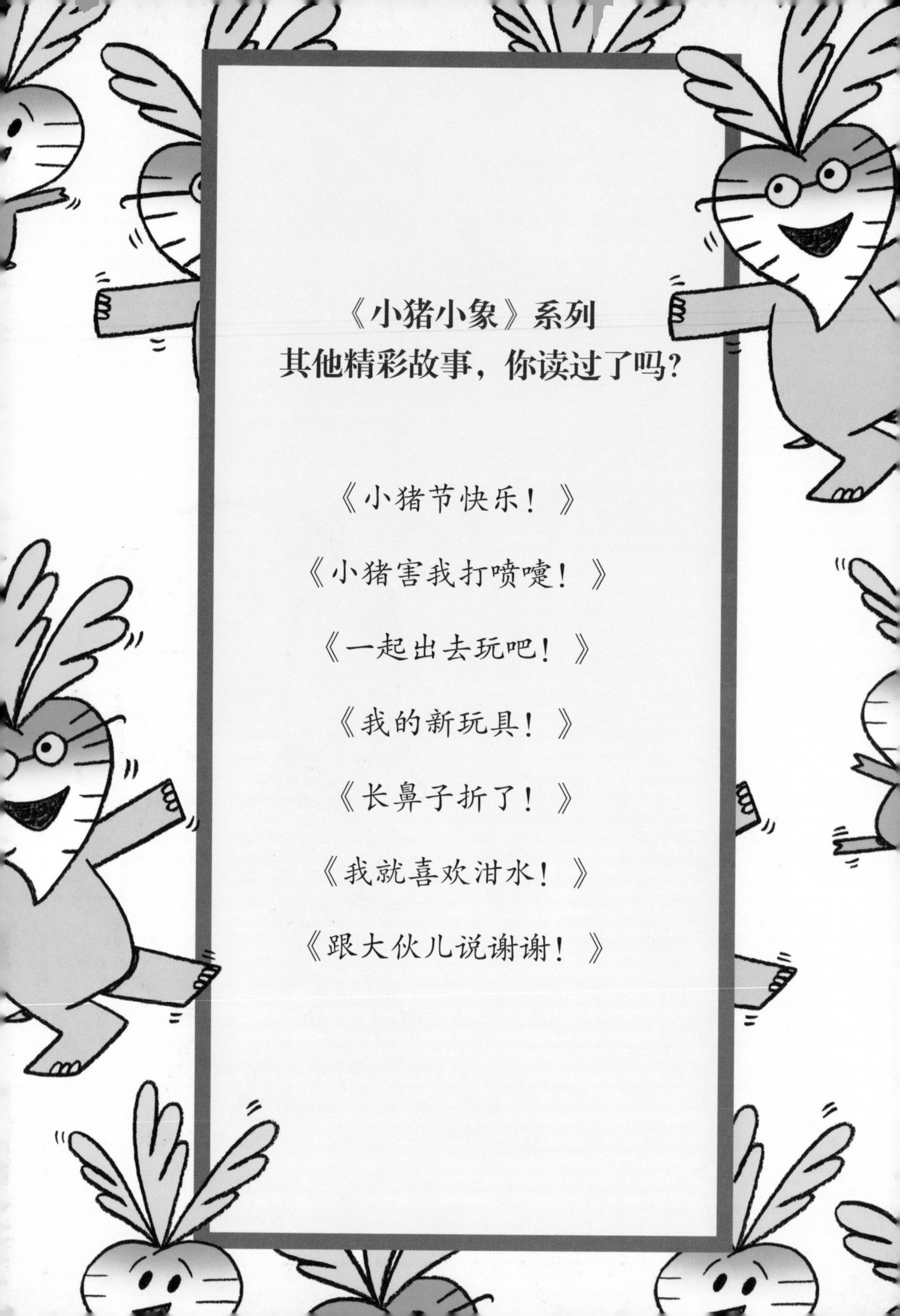

《小猪小象》系列

其他精彩故事，你读过了吗？

《小猪节快乐！》

《小猪害我打喷嚏！》

《一起出去玩吧！》

《我的新玩具！》

《长鼻子折了！》

《我就喜欢泔水！》

《跟大伙儿说谢谢！》